PALOMERO

CACAHUAZINTLE

**NEGRO
DE LOS VOLCANES**

**CRIOLLO
AMARILLO DELGADO**

CRIOLLO

CRIOLLO MEJORADO

**CRIOLLO
NEGRO DELGADO**

**CRIOLLO
NEGRO ANCHO**

...y la COMIDA se hizo

I _____ fàcil

EDITORIAL TRILLAS
México, Argentina, España.
Colombia, Puerto Rico, Venezuela

Catalogación en la fuente

Fernández, Beatriz L.
.....Y la comida se hizo : fácil, -- 2a ed. --
México : Trillas, 1990 (reimp. 1993).
     135, [9] p. : il. col. ; 27 cm. (...Y la
comida se hizo; 1)
     ISBN 968-24-3853-5

     1. Cocina - Manuales, vademecums, etc.
2. Recetas, I. Yani, María, II. Zafiro, Margarita.
III. t. IV. Ser.

LC- TX716.A1FRF431   D- 641.508'F565f   1473

 Derechos reservados
© 1984, I555TE

Derechos reservados
© 1985, Editorial Trillas, S. A. de C. V.,
Av. Río Churubusco 385, Col. Pedro María Anaya,
C.P. 03340, México, D. F.

División Comercial, Calz. de la Viga 1132, C.P. 09439
México, D. F., Tel. 6330995, FAX 6330870

Miembro de la Cámara Nacional de la
Industria Editorial. Reg. núm. 158

Primera edición, 1984
     Primera reimpresión, 1985 (ISBN 968-24-1873-9)
     (primera publicada por Editorial Trillas, S. A. de C. V.)
     Reimpresiones, 1986 y 1987
Segunda edición, 1990 (ISBN 968-24-3853-5)
     Reimpresión, 1992

Segunda reimpresión, julio 1993

Impreso en México
Printed in Mexico

Esta obra se terminó de imprimir y encuadernar,
el 15 de julio de 1993,
en los talleres de Rotodiseño y Color, S. A. de C. V.,
San Felipe núm. 26, Col. Xoco,
C.P. 03340, México, D. F.
Se tiraron
8 000 ejemplares, más sobrantes de reposición.

KC 100

Indice

...y la comida se hizo

Presentamos en estos libros cerca de medio millar de recetas para hacer sopas, antojitos, guisados, postres y bebidas.

Medio millar de platillos es un número pequeño comparado con la variedad que encontramos a largo y a lo ancho de México, donde disfrutamos de una de las cocinas más ricas del mundo, riqueza que proviene de la diversidad de climas y culturas de nuestro país, pero también, fundamentalmente, de la viva imaginación de los mexicanos. De ella surge esa varidad increíble de maneras de preparar platillos a partir de unos mismos alimentos básicos. Con ella tenemos unidad en la diversidad.

Nos sentimos orgullosos de la cocina mexicana y queremos compartir con usted nuestro orgullo. Pero no es menor nuestro deseo de que a través de estas páginas pueda hacer más variada su cocina, al mismo tiempo que sea capaz de hacer mucho más con el mismo gasto y con menor esfuerzo.

Estos dos propósitos —el orgullo de lo nuestro y su utilidad práctica— marcaron las pautas para la organización del material de estos volúmenes.

Hubo que seleccionar las recetas a partir de una enorme cantidad de material muy diverso entre sí. Estas fueron probadas después en una cocina casera.

Para las mujeres mexicanas, llenas de ingenio y maestras de la improvisación, cada una de las recetas habrá de ser seguramente tan sólo un punto de partida para lograr muchos más platillos, ya sea sustituyendo algunos de los ingredientes o bien agregándole el sabor de su propia región.

Cada tomo tiene una orientación precisa. Así, la mayoría de las recetas del primero son de fácil realización, mientras que las del segundo procuran ser económicas, las del tercero se basan en la rapidez y, finalmente, las del cuarto están pensadas para reuniones, para fiestas, en fin, para celebrar. De todos modos, puede haber platillos relativamente más complicados en el primer tomo y más sencillos en el último, y asimismo habrá recetas que sean a la vez económicas y rápidas. En cada tomo se presenta un primer capítulo donde se comenta la historia de la cocina, desde los antiguos mexicanos hasta nuestros días y, al mismo tiempo, se ofrecen consejos prácticos y nutricionales en las páginas de introducción de las distintas secciones.

Con estos libros hemos querido rendir homenaje a la mujer mexicana, pues ella es la que ha creado la variedad y la riqueza infinitas de nuestra cocina. Como también han sido principalmente las mujeres las que han recuperado la tradición oral de esa cocina y la han puesto por escrito. Sin el trabajo denodado de Josefina Velázquez de León, Elena Ocampo, Ana María Guzmán de Vázquez Colmenares y muchas otras mujeres que dedicaron su vida a este tema, estos libros no podrían haber aparecido.

Notas sobre la comida en el México antiguo

Vendedores de maíz, (Detalle). 'La gran Tenochtitlan, mural de **Diego Rivera**, Palacio Nacional.

Antes que nada, el maíz

La mayor parte de los datos que tenemos para conocer la historia antigua de México proviene de los códices y los textos de los cronistas: conquistadores, frailes y escribanos.

La historia de la comida va ligada a la historia de la agricultura. En México esa historia no puede separarse de la domesticación del maíz.

Hace muchos siglos los habitantes de estas tierras fueron nómadas y recolectores; emigraban de un lado a otro en busca de alimento. Su vida fue cambiando poco a poco porque empezaron a cultivar algunas plantas; se cree que las primeras fueron la calabaza, el chile y el jitomate, que crecen sin demasiados cuidados.

11

El maíz es originario de América. Se han encontrado restos prehistóricos de unas mazorcas pequeñísimas en el valle de Tehuacán. Se piensa que al principio el maíz se consumía en estado silvestre y a lo largo de varios milenios fue perfeccionándose su cultivo. Se empezaron a obtener verdaderas cosechas y a producirse plantas y granos cada vez más grandes.

Al cultivarlo, nuestros antepasados tomaban en cuenta las necesidades de la tierra. El maíz se sembraba junto al frijol y la calabaza, que se enredan en sus tallos. Así el maíz le arranca a la tierra algunas sustancias y el frijol le devuelve el nitrógeno que el maíz le quitó, permitiendo que la tierra siga siendo fértil y pueda recibir la semilla de la próxima siembra.

Troje de maíz, Códice Florentino.

Tlacuache, animal asociado con el dios del maíz.

Por su importancia, el maíz se convirtió también en un objeto de culto religioso y en torno a él se organizaron varios tipos de ceremonias. Antes de comerlo, lo trataban con ternura y delicadeza. Antes de cocerlo, lo calentaban con el aliento para que no sufriese con los cambios de temperatura y si encontraban algún grano perdido en el suelo lo recogían y rezaban una oración, para disculpar el desperdicio e impedir que los dioses se vengaran produciendo sequías y, por tanto, hambre.

No en balde los pobladores antiguos de estas tierras lo reverenciaban como a un dios y lo llenaban de cuidados como si fuera un niño. El maíz no era ya una simple planta, se convirtió en una planta divina.

La gran Tenochtitlan, mural de **Diego Rivera**, Palacio Nacional.

El tianguis

Los cronistas escribieron maravillados sobre el tianguis. El mercado de Tlatelolco asombró a Cortés por su perfección y magnitud. Aunque antes se señalaba, como se sigue haciendo hoy, un día de mercado en todos los pueblos del México antiguo, el mercado de Tlatelolco estaba siempre abierto.

De todos los sitios llegaban productos para vender: chocolate del Soconusco y vainilla de Veracruz; pescados de agua dulce y salada, aves silvestres y guajolotes, frutas y verduras, piedras preciosas, objetos de jade y obsidiana, arte plumaria, petates, carbón, braseros, pulque, miel y cera de abeja, cueros, ollas y vasijas, elotes y tamales; en una palabra, todo lo que el hombre apetecía se encontraba en el mercado de Tlatelolco, perfectamente ordenado por calles según la naturaleza de las cosas exhibidas para la venta. Allí se reunía la gente, allí se comía y se bebía. El tianguis servía de mercado, de restaurante, de sitio de diversión, en fin, era el lugar de reunión pública más frecuentado.

Veámoslo con los ojos maravillados de quienes lo describieron por primera vez:

Había chiles de todas formas y colores, de vaina alargada, pequeños y grandes, rojizos, anaranjados, verdes y negros,

Vendedores de verduras, (Detalle).

frescos y secos. Frijoles pintos, jaspeados, prietos, pardos y blancos, pequeños y grandes. Maíz en mazorca, en grano, en tortilla de muchos colores que los vendedores ofrecían de varias formas.

También había calabazas, chilacayotes, camotes, mesquites, nopales, corazón de maguey cocido, chayotes y chinchayotes. Los tomates y los jitomates, los miltomates y el jaltomate y las pepitas de calabaza. El achiote y el xoconastli. Muchos tipos de hongos: huitlacoche y cacomite. Plantas silvestres: los quelites, los quintoniles, los huazontles y el aromático epazote. Semillas como la chía, el amaranto o la alegría. Muchas flores, algunas comestibles: la flor de calabaza, la de malva.

Las frutas se amontonaban en perfecta simetría: el mamey junto a la chirimoya, las guanábanas, los tejocotes, los capulines, las tunas, la papaya, el epazote amarillo, el zapote blanco, el zapote prieto, el aguacate, la nuez encarcelada, la guayaba, la jícama, el cacahuate.

Cacao preparado de múltiples maneras: con agua y sabor de flores perfumadas, vainilla, mieles de caña de maíz, de maguey, de abeja, y de distintos colores también: colorada, negra, anaranjada, blanca, y que se vendían en jícaras decoradas, junto con molinillos y coladeras.

El frijol, el chile y la calabaza

Empecemos por el frijol. Junto con el maíz, los frijoles eran parte de la alimentación básica del mexicano. Los comía con tortillas y chile, todos los días.

El chile se usaba en todo el territorio antiguo de México para condimentar la comida. Sus poderes aperitivos y digestivos lo hacían muy cotizado y los conquistadores lo consideraron, junto con la vainilla, como una de esas especias que tanto habían perseguido cuando buscaban la ruta de las Indias.

La calabaza, al igual que otras plantas mexicanas, se utilizaba de manera refinada y práctica a la vez. Su pulpa se cocía y se condimentaba con diversos tipos de chile; de las pepitas se extraía un aceite con el que se preparaba una pasta llamada pipián. De otra variedad de calabazas se hacían las jícaras con las que se servían los líquidos, aunque también se utilizaban como adorno.

Vendedora de verduras, **Códice Florentino.**

Mata de frijol, **Códice Florentino.**

16

Perro izcuintle, **Colima**.

Guajolotes, **Códice Florentino**.

Guajolotes y perros

Había muchas variedades de aves. La única domesticada era el guajolote, el uexólotl de los nahuas. Gustaban mucho de las numerosas aves de caza que se traían a las ciudades, a sus mercados.

También había perros de una especie particular, sin pelo, que se cebaban para el consumo. Pero su carne era menos estimada que la del guajolote y se dice que a veces las consumían juntas, la del guajolote arriba y la del perro abajo, "para hacer bulto".

17

Los productos del agua

El valle de México fue una región llena de agua y, como en la antigua Tenochtitlán, todavía a principios de este siglo había canales, acequias y hasta lagos en nuestra ciudad.

Los habitantes de esta zona consumían grandes cantidades de animales acuáticos, entre ellos los insectos y los huevecillos de una mosca depositados en la superficie de las aguas, una especie de pasta deliciosa llamada ahuautle. También se comían las ranas, los ajolotes y los camarones de agua dulce o acociles.

Cerca del mar se comían además distintos tipos de pescado, las tortugas, los cangrejos y las ostras.

Vendedores de pescado, (Detalle). Diego Rivera.

Caza de patos en el lago, **Códice Florentino.**

Ajolotes y acociles, **Códice Florentino.**

Chapulín, **Códice Florentino.**

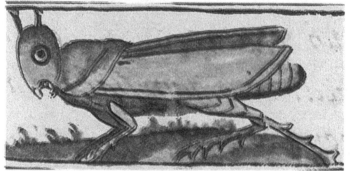

18

Nopales, Foto **M. Y.**

Las frutas del desierto

Ciertas zonas de nuestra patria están cubiertas de magueyes y de nopales. El nopal es una hermosa planta que crece en terrenos secos. De sus hojas espinosas brota una flor y luego una fruta, la tuna; a veces confundida con las hojas por tener su mismo color, a veces roja como la sangre. Hojas y frutas calman el hambre y la sed de los habitantes de los inmensos espacios desérticos del norte de México.

19

El maguey y el pulque

Los códices, antiguos documentos de los mexicanos, hablan de la importancia del maguey en la vida cotidiana y en la vida religiosa. El maguey producía la bebida sagrada, el teómetl o vino blanco, bebida de los valientes, y el octli, bebida de las clases populares que después de la Conquista se llamó pulque.

Del maguey se obtenían bardas para los campos y techos para las casas. También hilo, papel, agujas, vestido, calzado y reatas, vino, vinagre y medicinas. ¿Se puede pedir más? Desde siempre se han usado pencas del maguey para el mixiote, con que se envuelven, para cocerlos, deliciosos manjares de carne y pescado, y desde siempre ha formado parte de la comida, cocido, el corazón del maguey.

Gusanos de maguey, Códice Florentino.

20

Matrimonio, ofrenda de cacao, **Códice Nattall**, (Detalle).

El cacao, bebida milagrosa

El cacao era tan apreciado en el mundo prehispánico que se usaba como moneda. Además se bebía. El chocolate molido con agua y con maíz, endulzado con miel de abeja y aromatizado con vainilla, tomado en jícaras se convertía en champurrado. Un conquistador anónimo dice, sorprendido: "Cuando quieren beberla la baten con unas cucharitas de oro de plata o de madera; pero al beberla se ha de abrir bien la boca, pues por ser espuma es necesario darle lugar a que se vaya deshaciendo y entrando poco a poco".

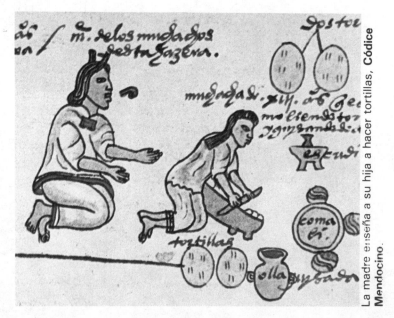

La madre enseña a su hija a hacer tortillas, **Códice Mendocino.**

Utensilios y formas de preparar la comida

Hay cosas que en México se usan desde hace mucho tiempo,
quizá desde el momento en que el hombre de estas tierras
empezó a convertirse en un poblador sedentario, dedicado a la
agricultura. Aquel que poseía el metate de piedra con su
metlapil o mano, en donde molía las semillas, el comal de
barro, las cazuelas, las ollas y el molcajete.

La mujer preparaba el nixtamal dejando toda la noche el maíz
en agua con tequesquite para molerlo al día siguiente en el
metate. Luego, la mujer tomaba la masa y con las manos
mojadas iba palmeándola hasta hacer un círculo perfecto y
blanco para colocarlo después en el comal, calentado sobre la
lumbre de un pequeño brasero. Cuando las tortillas estaban
cocidas las rellenaba con frijol, las condimentaba con chile,
las envolvía en un trapo, las ponía en el tenate y así, sudadas,
las llevaba en el itacate al campo para darle de comer a su
marido.

En el México antiguo la comida se asaba o se cocía. Una de
las técnicas más difundidas para preparar la carne es la barbacoa,
que consiste en hacer un gran hoyo en la tierra y poner en el
fondo piedras muy calientes; encima se colocan unas pencas
de maguey que luego envuelven la carne. Después se tapa el
hoyo y se deja cocinar toda la noche. Así la carne se cuece
lentamente, en su propio jugo, y toma un sabor delicioso.

A pesar de la enorme variedad de alimentos que la caza y la
pesca ofrecían, y a pesar de las numerosas variedades de
plantas que son originarias de estas tierras, la alimentación de
los hombres que vivieron en este lugar que llamamos México
era muy sencilla. Comían poco. Se almorzaba a media mañana
y se comía al entrar la tarde. Generalmente, sólo se hacían
esas dos comidas. Se bebía una jícara de atole de masa
simple, a veces azucarado con miel de abeja o de maguey o
condimentado con chile.

22

La comida diaria era austera y, cuando había sequía, escasa, y solía haber épocas de hambre. Pero en las fiestas y convites se volvía espléndida, diversa y abundante.

Se daban fiestas para calmar a los dioses y para pedir agua y maíz. También para celebrar la victoria o para conquistarla.

Las fiestas se asociaban a los nacimientos, a las bodas y a la muerte.

Nuestra tradicional fiesta de día de muertos tiene mucho que ver con estos rituales. Había una fiesta de difuntos y otra de muertecitos. Para ambas se preparaban grandes cantidades de comida que se ofrecían en altares y tumbas.

En las fiestas se mataba guajolotes, se hacía barbacoa y se preparaba pozole. Decenas de mujeres servían los guisados y echaban tortillas todo el tiempo. Para acompañar, se servían jícaras de pulque y se tomaba chocolate.

Ceremonia alrededor del comal, **Códice Florentino**.

23

Mujer moliendo maíz, **Jaina, Campeche**, (Col. particular).

Generalidades

En este libro hemos tratado de simplificar las cosas.
Las medidas que se utilizan son, por lo general,
caseras. En lugar de usar kilos o litros, usamos
tazas o cucharadas. Pero hemos utilizado las
medidas de peso para las carnes y, en general, para
los productos que se venden por peso en los
mercados. Tampoco precisamos los tiempos
exactos de preparación de las recetas porque van
destinadas a todas las regiones de la República
Mexicana y la diferencia de alturas y temperaturas
haría imposible la exactitud.

Las recetas pueden utilizarse de manera flexible.
En todas las recetas de arroz recomendamos arroz
integral, porque es más nutritivo. Pero siempre se
podrá usar el arroz que acostumbra. Un pescado se
sustituye por otro si en el momento de cocinarlo no
se tiene el sugerido. Lo mismo puede hacerse en
muchos casos de frutas y verduras. Algunos de los
ingredientes anotados en la lista de cada receta
pueden suprimirse en ocasiones y por ello los
hemos colocado por orden de importancia, aunque
al final de la lista incluyamos cosas imprescindibles,
como la sal, la pimienta, el azúcar.

Hemos procurado que las recetas sean, en lo
posible, simples, rápidas, económicas, nutritivas.

Recomendamos el uso de la licuadora, que le
permite ahorrar tiempo, pero también le sugerimos
la utilización de utensilios tradicionales como el
molcajete, que le dan un sabor auténtico a ciertas
comidas (y le ayudan a ahorrar electricidad).

Sopas y huevos

Basta con un puchero...

La sopa es uno de los alimentos más socorridos de la historia de la humanidad. Se le llamó sopa a un cocido de agua y migas de pan con que los pobres de Europa mitigaban su hambre. La sopa permite una cantidad enorme de variantes, desde el caldo más simple —el que se prepara con una rabadilla o un pescuezo de pollo, algunas yerbas, ciertas verduras— hasta las sopas más refinadas de tortilla, de pescado o de aguacate, ya sea como único platillo o como principio perfecto de comida, sopas calientes para el invierno o sopas frías para refrescarnos en el verano, sopas abundantes como plato fuerte o sopas ligeras para abrir el apetito.

Sopa de tortilla

8 **tortillas cortadas en tiras**
6 **tazas de caldo de pollo**
2 **jitomates**
2 **dientes de ajo**
1 **trozo de cebolla**
1 **rama de epazote**
1/2 **taza de queso rallado**
1 **aguacate**
– **chicharrón**
– **crema**
– **chile pasilla al gusto**
- **aceite para freír**
- **sal**

1. Fría las tiras de tortilla hasta que se doren. Apártelas y en la misma grasa fría el chile. Escurra el exceso de grasa.

2. Licue los jitomates con los ajos y el trozo de cebolla. En una cazuela fríalos hasta que sazonen.

3. Agregue el caldo, las tortillas fritas y el epazote; hierva unos momentos y sirva caliente.

4. Ya en los platos se le añade, al gusto, chile pasilla frito, rebanadas de aguacate, crema, queso rallado y trozos de chicharrón.

Sopa de fideo

1/2 **paquete de**
    fideos de
    cambray
  8 **tazas de caldo**
    de pollo
  1 **jitomate**
  1 **trozo de cebolla**
  1 **diente de ajo**
  1 **rama de perejil**
  1 **chile serrano**
  – **aceite para freír**
  – **sal**

1. Fría el fideo hasta que se dore, moviendo para que no se queme; escurra el aceite que sobra.
2. Pique el jitomate, lícuelo con el ajo y la cebolla. Cuélelo sobre los fideos.
3. Agregue el caldo de pollo, una ramita de perejil, el chile para que le dé sabor y sal; deje hervir hasta que el fideo esté suave.

Sopa de verduras

2 zanahorias cortadas en cuadritos
1/2 taza de chícharos pelados
1 papa pelada y cortada en cuadritos
1/2 taza de ejotes picados
2 elotes partidos en rodajas
1 hueso poroso de res
6 tazas de caldo de pollo
2 jitomates grandes picados
1 trozo de cebolla
2 dientes de ajo
– chile serrano al gusto
– perejil
– aceite para freír
– sal

1. Cueza zanahorias, chícharos, papas, ejotes y elotes, junto con el hueso y el caldo de pollo.
2. Licue el jitomate con el ajo y la cebolla; fría y sazone; viértalo sobre el caldo donde coció las verduras. Añada perejil, sal y chile serrano al gusto.

Sopa de frijol

2 **tazas de frijol cocido**
3 **tazas de caldo de pollo**
2 **jitomates**
1 **trozo de cebolla**
1 **diente de ajo**
1 **ramita de epazote**
1/2 **taza de queso fresco desmoronado**
– **aceite para freír**
– **sal y pimienta**

1. Licue los frijoles con su propio caldo.
2. Aparte, licue el jitomate, la cebolla, el ajo, añada sal y pimienta y fría en una cazuela hasta que sazone.
3. Agregue los frijoles molidos, el caldo y el epazote; deje hervir unos minutos. Sirva espolvoreado con queso.

31

Sopa de pan

3 **bolillos rebanados y tostados**
6 **tazas de caldo de pollo**
12 **dientes de ajo**
6 **huevos**
1 **ramita de epazote o cilantro**
– **aceite para freír**
– **sal y pimienta**

1. Fría en una cazuela los ajos machacados hasta que se pongan transparentes, agregue el caldo y el epazote y deje que dé un buen hervor.
2. Baje la flama, añada los huevos (con cuidado para que no se rompan las yemas).
3. Cueza 1 minuto, agregue el pan, sal y pimienta. Sírvase bien caliente.

Sopa de lenteja

1 taza de lentejas
8 tazas de caldo
  de pollo
1 zanahoria pelada
  y picada
1 diente de ajo
  picado
1/2 cebolla picada
1 hoja de laurel
1 hueso de jamón
– aceite para freír
- sal y pimienta

1. Fría en una cazuela la cebolla y el ajo. Añada las lentejas limpias y remojadas con anterioridad, el caldo, la sal, la pimienta, el laurel, la zanahoria y el hueso de jamón.

2. Cueza la sopa a fuego bajo hasta que las lentejas casi se deshagan. Si el caldo se consume demasiado, agregue agua caliente.

3. Antes de servir quite la hoja de laurel y el hueso de jamón, desprendiendo la carne que tenga.

33

Sopa de malva

1 taza de hojas de
malva
2 tazas de flores
de calabaza
4 calabacitas
cortadas en
cuadritos
2 jitomates
1 trozo de cebolla
2 dientes de ajo
6 tazas de caldo
– aceite para freír
– sal

1. Ase los jitomates, pélelos y lícuelos con la cebolla, el ajo y la sal.
2. Lave y fría las hojas de malva y las flores de calabaza con las calabacitas. Agregue el jitomate. Sazone. Cuando espese agregue el caldo. Cueza.
3. Sirva la sopa con salsa verde si desea.

Salsa verde

10 tomates verdes
2 dientes de ajo
1 cucharada
cafetera de
cilantro picado
– chile serrano
al gusto
– sal

Cueza los tomates y lícuelos con los chiles y los ajos. Añada sal y cilantro picado.

Sopa de melón

2 papas
1 melón
1/2 barrita de margarina
1 taza de leche evaporada
2 yemas de huevo
— sal y pimienta

1. Cueza y pele las papas. Lícuelas con la pulpa del melón y la leche evaporada.

2. En una cacerola derrita la margarina y agregue la mezcla anterior. Añada sal y pimienta y cueza unos minutos. Agregue 2 tazas de agua y cueza 5 minutos más.

3. Bata las yemas hasta que estén cremosas y añádalas a la sopa. Mezcle y retire del fuego inmediatamente. Se puede servir fría o caliente.

35

Crema de jitomate

3 **jitomates
maduros**
4 **tazas de caldo
de pollo**
2 **cucharadas
soperas de
harina**
2 **tazas de leche**
1/2 **cebolla**
2 **dientes de ajo**
2 **bolillos**
- **aceite para freír**
- **sal y pimienta**
1 **cucharada
cafetera de
perejil picado**

1. Fría rebanadas de bolillo en aceite hasta que doren. Escúrralas.

2. Licue los jitomates con la cebolla y el ajo y fría hasta que sazone.

3. En una cacerola dore ligeramente la harina en aceite, moviendo continuamente. Agregue el jitomate licuado, la leche, el caldo, sal y pimienta. Hierva a fuego bajo unos minutos y sirva con perejil picado.

Crema de berros

2 manojos de
  berros
2 papas
5 tazas de caldo
  de res o pollo
1 taza de leche
1 poro picado
1/2 cebolla picada
 – sal y pimienta
 – crema

1. Cueza y pele las papas.

2. Separe unas hojas de berros, cueza el resto en poca agua y escurra.

3. Licue las papas y los berros con el agua en que los coció.

4. En una cacerola fría el poro y la cebolla. Agregue las papas y los berros licuados y el caldo. Hierva unos minutos. Baje la flama, agregue la leche. Añada sal y pimienta.

5. Sirva adornando con las hojas de berro que separó y una cucharada de crema.

2 rabadillas, 4
  patas y 1
  pescuezo de
  pollo
1 trozo de cebolla
2 zanahorias
2 dientes de ajo
2 ramitas de apio
– cilantro
– sal y pimienta

Caldo de pollo

1. Lave las piezas de pollo y requeme sobre la flama de una estufa los pellejos y los cañones de las plumas que les hayan quedado.

2. En una olla ponga el pollo y las verduras con 8 tazas de agua a fuego alto hasta que hiervan; luego baje la flama y deje hervir lentamente por lo menos 20 minutos. Añada sal y pimienta.

Caldo de res

1 hueso con médula
1 hueso poroso
2 trozos de chambarete
1 trozo de cebolla
2 dientes de ajo
1 rama de cilantro
2 papas peladas y cortadas en cuadritos
1/2 taza de chícharos
— sal y pimienta

1. Ponga a cocer los huesos y la carne en 8 tazas de agua con la cebolla, los ajos y la rama de cilantro; vaya quitando la espuma con una cuchara. Deje hervir hasta que la carne se suavice.
2. Agregue las papas y los chícharos y deje cocer hasta que se ablanden, pero no demasiado. Quite la espuma de vez en cuando. Añada sal y pimienta y sirva caliente.

Caldo largo de pescado

1/2 kg de pescado
   en trozos (rubia,
   peto o mero)
1 jitomate
1 cebolla
4 dientes de ajo
– chile guajillo al
   gusto
– hierbas de olor
– sal
2 cucharadas
   soperas de
   cilantro picado
3 limones partidos

1. Lave el pescado.
2. Ponga en una olla con 6 tazas de agua el jitomate partido en cuatro, la cebolla rebanada, 3 dientes de ajo, las hierbas de olor y la sal; déjelo hervir 10 minutos.
3. Limpie el chile, desvénelo y remójelo; lícuelo con 1 diente de ajo y 1 taza de agua. Cuélelo sobre la olla.
4. Añada el pescado limpio de espinas. Hierva 15 minutos y sirva caliente con el cilantro picado y acompañe con medios limones.

Mole de olla

1 kg de espinazo
  de puerco
2 xoconoxtles
2 elotes
1 taza de ejotes
  cortados en rajitas
6 calabacitas
1 cebolla
4 dientes de ajo
2 ramas de
  epazote
4 pimientas
  gordas
– chile pasilla al
  gusto
– sal

1. Cueza el espinazo en 8 ó 10 tazas de agua junto con los xoconoxtles sin cáscara en rebanadas, los elotes en rebanadas, las ramas de epazote, 2 dientes de ajo, la pimienta y la sal.

2. Lave, remoje y desvene los chiles. Licuelos en 1/2 taza de agua con la cebolla y el ajo restante. Agregue a la olla en que se está cociendo el espinazo.

3. Añada las calabacitas y los ejotes. Baje la flama y cueza hasta que las verduras estén tiernas.

41

Arroz rojo integral

2 tazas de arroz integral

4 tazas de caldo de pollo

1 jitomate

1 trozo de cebolla

1 diente de ajo

1 zanahoria grande cortada en cuadritos

1/2 taza de chícharos pelados

1 ramita de perejil

– aceite para freír

– sal

1. Remoje el arroz en agua tibia durante 15 minutos, escúrralo y enjuáguelo con agua fría.

2. En una cacerola ponga a calentar aceite hasta que casi ahume, vierta entonces el arroz. Mueva constantemente, hasta que el grano esté suelto.

3. Licue el jitomate con la cebolla y el ajo y agréguelos al arroz. Mueva hasta que se haya absorbido el líquido.

4. Añada el perejil, la zanahoria y los chícharos. Agregue el caldo caliente y la sal. Remueva un poco. Cuando empiece a hervir tape la cacerola. Baje la flama y cueza hasta que el caldo se evapore totalmente y el arroz esté tierno.

(Si el caldo se consume antes de que el arroz esté tierno, añada un poco más de agua caliente.)

Espagueti marinera

1 paquete grande
   de espagueti
1 kg de almejas en
   su concha
2 jitomates
1 cucharada
   sopera de aceite
1 trozo de cebolla
— hierbas de olor
— aceite para freír
— sal y pimienta

1. Lave las almejas con una escobeta, para quitarles la arena.
2. Cuézalas con 1 taza de agua y las hierbas de olor hasta que se abran; sáqueles la carne. Cuele y conserve el agua en que las coció.
3. Pele los jitomates y píquelos con la cebolla. En una cacerola fría todo a fuego lento hasta que sazone. Vierta el agua que se había apartado sobre el jitomate y espere a que dé un buen hervor. Añada sal y pimienta.
4. Aparte, cueza los espaguetis en agua hirviendo con sal y una cucharada sopera de aceite. Ya cocidos, escúrralos y colóquelos en un platón.
5. Vierta sobre el espagueti las almejas y el caldo de jitomate y revuelva con cuidado. Sirva bien caliente.

Chilaquiles verdes

12 tortillas
12 tomates verdes
 2 dientes de ajo
 1 rama de epazote
 – chile serrano al gusto
 – aceite para freír
 – sal
1/2 taza de crema
1/2 taza de queso fresco desmoronado
 1 cebolla en rebanadas

1. Corte las tortillas en cuadritos y dórelas en aceite. Escurra la grasa.

2. Licue los tomates, los chiles y el ajo. Fríalos hasta que sazonen. Ponga sal y la rama de epazote. Agregue 3 tazas de agua.

3. Cuando la salsa esté hirviendo añada las tortillas; déjelas un momento, para que no se ablanden demasiado. Apague el fuego.

4. Sirva con queso desmoronado, crema y rebanadas de cebolla.

44

Huevos al horno

2 huevos
1 cucharada
   cafetera de
   margarina
– sal y pimienta
1/2 cucharada
   cafetera de
   perejil picado

1. Engrase un plato refractario. Rompa ahí los huevos, añada sal y pimienta; agrégueles margarina en trocitos.
2. Meta los huevos al horno y cuando la clara esté bien cocida, sírvalos enseguida espolvoreados con perejil.

Huevos con plátano

6 plátanos
2 huevos
– harina
– aceite para freír
– sal

1. Bata los huevos.
2. Pele los plátanos y pártalos a lo largo. Páselos primero por harina y luego por huevo batido.
3. Fríalos con bastante aceite, muy caliente. Escúrralos.
(Sugerimos acompañarlo con el arroz integral.)

45

Huevos rancheros

2 huevos
2 tortillas
1 jitomate
1 trozo de cebolla
1 diente de ajo
- chile serrano
  al gusto
- aceite para freír
- sal y pimienta

1. Ase el jitomate, pélelo y lícuelo con el chile, la cebolla y el ajo. Añada sal y pimienta; fría hasta que sazone y espese un poco.
2. Pase la tortilla por aceite caliente y por la salsa anterior.
3. Fría los huevos en aceite, estrellándolos con cuidado para que no se rompan.
Báñelos por arriba con aceite caliente, hasta que cuaje la clara y no se cueza la yema.
4. En un plato coloque las tortillas y, encima de cada una, un huevo frito. Báñelos con la salsa. Sirva muy caliente.

Antojitos

Los antojitos

Muchas de las formas actuales de preparar el maíz, base indispensable de cualquier comida comprendida dentro del amplio término de "antojitos", nos vienen de tiempo inmemorial. Baste un ejemplo; para preparar los tamales se sigue utilizando un método prehispánico: se hierve agua con cáscaras de tomate verde y luego, sin ellas, se procede a hacer la masa. Los antojitos, como tantas otras comidas que sugerimos en este libro, pueden comerse como alimento principal o como entremés, como parte del desayuno o como tentempié y hasta en lugar de la sopa. Evite con todo comerlos en la calle, porque suelen prepararse con ingredientes contaminados.

1 kg de huitlacoche
18 tortillas recién hechas
1 rama de epazote picado
4 dientes de ajo picados
- chile serrano al gusto
- cebolla picada finamente
- aceite para freír
- sal

Quesadillas de huitlacoche

1. Lave bien los huitlacoches.

2. Ase y pique los chiles serranos.

3. Fría la cebolla y los ajos; agregue el huitlacoche, los chiles, el epazote y la sal, tape la cacerola. Deje todo a fuego bajo hasta que estén cocidos los huitlacoches.

4. Rellene las tortillas y dóblelas para formar quesadillas. Fríalas por ambos lados.

Quesadillas de garbanzo

2 tazas de masa
de maíz
1 taza de garbanzo
2 chiles anchos
colorados
1 taza de queso
desmoronado
– manteca para
freír
– sal y pimienta
1 taza de crema

1. Remoje, cueza y pele los garbanzos.
2. Desvene, remoje y licue los chiles. Mezcle los garbanzos cocidos y los chiles licuados con la masa. Añada sal y pimienta.
3. Forme tortillas pequeñas y póngales un poco de queso en el centro; dóblelas como quesadillas y fríalas en manteca; sírvalas con crema.
(Pueden acompañarse con una ensalada o servirse sobre lechuga picada.)

49

Enchiladas zacatecanas

18 tortillas
1/4 kg de lomo de
    puerco
6 chiles poblanos
1 taza de queso
    fresco
    demoronado
1 taza de crema
1 lechuga

1. Cueza la carne; déjela enfriar, deshébrela y fríala ligeramente.

2. Ase, desvene, pele y muela los chiles; después mézclelos con la crema, agregue la mitad del queso desmoronado y ponga la mezcla al fuego. Cuando empiece a hervir, retírela y póngala en un lugar donde no se enfríe.

3. Fría ligeramente las tortillas, mójelas en la salsa, rellénelas con la carne deshebrada y dóblelas.

4. Acomode las enchiladas en un platón; vierta encima la salsa que sobró. Adorne con las hojas frescas de lechuga y queso. Sírvalas muy calientes.

Tacos de Sonora

18 tortillas chicas
1 pechuga de pollo
3 jitomates
1 cebolla
– chile serrano al gusto
– manteca para freír
– sal y pimienta

1. Cueza la pechuga en agua con sal y desmenúcela.
2. Ponga un poco de pollo desmenuzado sobre cada tortilla y enrolle para formar tacos. Fríalos en manteca.

Salsa

1. Ase los chiles y los jitomates. Píquelos.
2. Fría la cebolla picada en 2 cucharadas de manteca, agregue los chiles y los jitomates picados. Añada sal y pimienta.
3. Hierva ligeramente la salsa hasta que sazone y espese un poco.
Sírvala sobre los tacos.

Tacos sudados

1/2 kg de maciza de puerco
18 tortillas chicas recién hechas
1/2 tortilla seca
5 chiles anchos
2 chiles pasilla
1/2 cebolla
1 diente de ajo
3 cucharadas soperas de cacahuates tostados
– aceite para freír
– sal y pimienta

1. Cueza la carne y escúrrala, guarde el caldo y deshébrela.

2. Desvene los chiles y tuéstelos, remójelos en un poco del caldo en que se coció la carne.

3. Fría la media tortilla.

4. Licue los chiles con la cebolla, el ajo, la tortilla frita y los cacahuates pelados; añada sal y pimienta. Fría todo hasta que sazone. Agregue un poco de caldo. Agregue la carne. Hierva todo a fuego muy bajo hasta que espese.

5. Rellene las tortillas recién hechas con la carne, dóblelas a la mitad y acomódelas en una vaporera tapada para que suden los tacos.

(Si no tiene vaporera, envuélvalos en un trapo de algodón y colóquelos en una canasta de mimbre.)

Tamales y nacatamales

1 kg de harina de maíz cacahuazintle

1 cucharada sopera de polvo de hornear

1 1/2 tazas de manteca

1/2 taza de caldo de pollo

10 cáscaras de tomate

2 cucharadas soperas de anís

— hojas de maíz lavadas

— sal

1. Hierva, en 2 tazas de agua, las cáscaras de tomate con el anís. Cuele y separe el agua.

2. En un recipiente ponga la harina de maíz, añada sal y polvo de hornear. Semiderrita la manteca y viértala en la mezcla anterior. Comience a amasar añadiendo poco a poco tanto el caldo de pollo como el agua donde hirvieron las cáscaras de tomate, hasta obtener una textura uniforme y se logre que una bolita de masa flote en agua sin desbaratarse.

3. Coloque una porción de masa en cada hoja de maíz y envuelva. Acomode en una vaporera y cueza durante una 1/2 hora.

Nacatamales

Coloque una porción de masa en cada hoja de maíz. Agregue mole verde, rojo, picadillo o rajas con queso, cubra con más masa, doble la hoja y envuelva. Cueza en la vaporera.

Molotes potosinos

2 tazas de masa para tortillas

1/4 kg de carne de puerco molida

1 cucharada cafetera de polvo de hornear

1 cucharada cafetera de manteca

2 jitomates pelados y picados finamente

1 cebolla picada finamente

6 almendras peladas y picadas

2 cucharadas soperas de pasitas

1 acitrón cortado en cuadritos

1/2 taza de queso añejo

- aceite para freír
- sal

1. Mezcle bien la masa con el queso, sal, el polvo de hornear y la cucharada de manteca. Envuélvala en una servilleta húmeda y deje reposar 1 hora.

2. Para hacer el picadillo, fría bien la carne molida con la cebolla, el jitomate, las almendras, las pasitas y el acitrón.

3. Haga una gordita de masa, rellénela de picadillo y enróllela para formar el molote.

4. Envuélvalos en hojas de maíz y cuézalos en una vaporera. Quíteles la hoja y fríalos en manteca.

Verduras y salsas

¿Para qué sirven las verduras?

Las verduras son un alimento magnífico
para nuestro organismo. No podemos
prescindir de ellas porque contienen
proteínas, sales minerales y vitaminas en
abundancia.
Las verduras de temporada tienen más
valor nutritivo que las otras y además
son menos caras...
Es mejor comerlas crudas, porque
conservan sus elementos nutritivos, pero
siempre debe desinfectarlas.
Los jitomates deben madurarse fuera del
refrigerador...
Los tubérculos (la papa, el camote, el
chinchayote, etc.) se conservan frescos
durante mayor tiempo.
Hay que comprarlas en cantidades
pequeñas para evitar que se
descompongan y al comprarlas debe
cuidarse que su color sea brillante y que
estén firmes al tacto.

Camotes al horno

6 camotes chicos
1 barrita de
  margarina
– azúcar o miel al
  gusto

1. Cueza los camotes en agua hirviendo, hágales un corte a lo largo y póngales un trocito de margarina.
2. Hornéelos a fuego bajo hasta que doren. Al servir agregue un poco más de margarina y miel o azúcar.

Puré de papa

6 papas medianas
1 yema
1 barrita de
  margarina
1 taza de leche
  caliente
– sal y pimienta

1. Hierva las papas en agua hasta que estén blandas y pélelas.
2. Machaque las papas junto con la margarina, la sal, la pimienta y la yema. Agregue leche hasta que la mezcla esté suave y pastosa. Bata el puré durante dos minutos más y sírvalo caliente.

Calabacitas al vapor

12 calabacitas
1/2 barrita de
   margarina
2 cucharadas
   soperas de
   perejil picado
1 cucharada
   cafetera de
   cebolla picada
1 taza de queso
   rallado
– sal y pimienta

1. Lave las calabacitas y pártalas en rodajas. Póngalas en una cacerola con la margarina, el perejil y la cebolla. Añada sal y pimienta; espolvoree con el queso.
2. Tape y cueza sin agua a fuego bajo, hasta que estén tiernas.

Chayotes empanizados

4 chayotes
1 huevo
1/2 taza de pan molido
– aceite para freír
– sal y pimienta

1. Cueza los chayotes en agua con sal. Pélelos, quíteles la semilla y córtelos en cuadros.
2. Bata el huevo, añada sal y pimienta.
3. Pase los chayotes por el huevo batido, empanícelos y fríalos hasta que se doren.

57

Zanahorias en cazuela

10 zanahorias
1 taza de caldo de res o pollo
2 yemas
1/2 barrita de margarina
1 cucharada cafetera de azúcar
– sal y pimienta

1. Lave bien las zanahorias, pélelas y córtelas en tiras pequeñas. Cuézalas en agua con sal a fuego alto sin dejar que se ablanden demasiado. Escúrralas y colóquelas en una cazuela.

2. Aparte derrita la margarina, añada el caldo y el azúcar y cueza a fuego alto (unos 10 minutos) moviendo constantemente.

3. Bata ligeramente las yemas de huevo. Añada sal y pimienta y agréguelas al caldo mezclando bien.

4. Vierta la salsa muy caliente sobre las zanahorias.

Rajas con champiñones

8 **chiles jalapeños**
2 **tazas de champiñones**
1 **cebolla**
4 **dientes de ajo**
1 **rama de epazote**
– **aceite para freír**
– **sal**

1. Lave bien los champiñones. Rebánelos y póngalos a cocer sin agua para que suelten su jugo, a lumbre baja, durante unos 10 minutos. Añada sal.
2. Rebane la cebolla. Pique muy finamente los dientes de ajo y el epazote; desvene los chiles y córtelos en rajas.
3. Escurra los champiñones y fríalos con poco aceite junto con la cebolla, el ajo, el epazote y los chiles. Sirva con tortillas calientes.

Jitomates rellenos

6 jitomates
    maduros pero
    firmes
1 lata de atún
1/2 **taza de**
    chícharos
    pelados
3 **tallos de apio**
    limpios y
    picados
1/2 **taza de**
    mayonesa
1 **pizca de**
    carbonato
– **sal y pimienta**

1. Cueza los chícharos en poca agua y con una pizca de carbonato.

2. Sumerja los jitomates en agua hirviendo unos segundos para pelarlos fácilmente. Corte una tapita del lado del tallo, ahuéquelos con una cucharita y sáqueles un poco de pulpa con cuidado para no romperlos.

3. Revuelva el atún con los chícharos, el apio y la mayonesa; rellene los jitomates con esta mezcla.

(Sirva sobre hojas de lechuga y adorne con perejil chino. El relleno puede ser también de ensalada de papa, sardina, verduras, arroz integral, etc.)

Berenjenas gratinadas

3 berenjenas
3 jitomates
1 trozo de cebolla
2 dientes de ajo
1 taza de queso rallado
— aceite para freír
— sal y pimienta

1. Rebane las berenjenas. Colóquelas en agua con sal y vinagre durante 10 minutos para desflemarlas. Sáquelas y escúrralas, séquelas y agregue pimienta.

2. Licue los jitomates, los ajos y la cebolla. Fría hasta que sazone.

3. Coloque las berenjenas en un refractario engrasado, cúbralas con la salsa de jitomate y el queso.

4. Meta en horno precalentado a fuego medio hasta que se suavicen las berenjenas y se derrita el queso.

Chiles en escabeche

6 chiles poblanos
– aceite para freír

Escabeche

1/2 taza de vinagre
1 cebolla morada
  rebanada
  finamente
5 dientes de ajo en
  mitades
1 zanahoria en
  rebanadas finas
– sal

Relleno

2 tazas de frijoles
  cocidos
1 chorizo
1 jitomate
  mediano, pelado
  y picado
1 cebolla picada
  finamente
1 trozo grande de
  queso añejo
6 rebanadas de
  queso panela
12 hojas de lechuga
  romanita
3 cucharadas
  soperas de
  aceite

1. Ase los chiles y límpielos. Póngalos en aceite caliente en una sartén y tápelos para que suden durante unos 5 minutos. Sáquelos y escúrralos.

2. Para hacer el escabeche, fría el ajo y la cebolla morada en el mismo aceite, añada la zanahoria, el vinagre y dos cucharadas soperas de agua; agregue sal y hierva a fuego bajo durante unos 2 minutos. Apártelo.

3. Para el relleno, muela los frijoles cocidos con su jugo.

4. Pele y desmenuce el chorizo y fríalo durante unos 5 minutos. Apártelo. Fría la cebolla picada en la misma grasa y agregue el jitomate. Sazone. Añada los frijoles molidos y el chorizo. Siga friendo, mueva para que la mezcla no se pegue en la sartén. Cuando espese, apague el fuego. Enfríe un poco y añada el queso añejo desmenuzado.

5. Abra los chiles de un lado; quite las venas y las semillas y rellene con la mezcla de frijol.

6. Coloque los chiles sobre hojas de lechuga aderezadas con aceite. Ponga una rebanada de queso panela encima de cada chile y báñelos con el escabeche. Deje enfriar.

Chiles en vinagre

10 chiles cuaresmeños partidos en rajas
10 chiles serranos partidos en rajas
3 zanahorias peladas y cortadas en rodajas

1 manojito de cebollitas de cambray sin rabo
3 cabezas de ajo partidas a la mitad
1/2 taza de ejotes en rajas

1/2 taza de nopales en rajas
1/2 coliflor cortada en trocitos
1 taza de vinagre
— hierbas de olor
— aceite para freír
— sal

1. En una cazuela con suficiente aceite fría ligeramente todos los vegetales.
2. Agregue 1 taza de agua, sal y las hierbas de olor. Deje hervir 5 minutos. Agregue el vinagre. Deje enfriar.
3. Ponga todo en un frasco hervido y tape.

63

Ensalada de espinacas

1 manojo de espinacas
2 huevos
1/2 cebolla morada rebanada finamente
1 taza de yogurt natural
2 cucharadas cafeteras de nueces picadas
2 cucharadas soperas de aceite
- sal y pimienta

1. Cueza los huevos, pélelos y píquelos.
2. Lave, desinfecte, escurra y pique las espinacas.
3. En una ensaladera mezcle las espinacas, la cebolla morada y agregue los huevos picados.
4. Bata el aceite con el yogurt. Añada sal y pimienta. Vierta el aderezo sobre la mezcla de espinacas y revuélvalo con cuidado. Ponga encima las nueces. Refrigere antes de servir.

Ensalada de pepinos

3 **pepinos grandes**
4 **cucharadas soperas de crema agria**
2 **cucharadas soperas de aceite**
1 **pizca de pimienta blanca**
1 **cucharada cafetera de pimentón molido**
1 **cucharada cafetera de sal gruesa**
– **jugo de limón al gusto**

1. Pele y rebane los pepinos. Colóquelos en un colador y añada la sal; déjelos reposar una hora, para que se les salga el exceso de líquido. Colóquelos en una ensaladera.
2. Mezcle la crema, el limón, el aceite, la pimienta blanca y el pimentón (no use más sal). Vierta el aderezo sobre los pepinos, enfríe y sirva.

Guacamole en molcajete

2 aguacates
   maduros
6 tomates
2 dientes de ajo
1 cebolla
2 cucharadas
   soperas de
   cilantro
- chile serrano
   al gusto
- sal

1. Ase los chiles y los tomates.
2. Muela en un molcajete el ajo con la sal y los chiles.
3. Ya bien molidos, agregue los tomates, el aguacate y muela un poco más.
4. Para adornar el guacamole, ponga encima la cebolla rebanada y el cilantro picado. Sirva al momento.

2 aguacates
   maduros
1 jitomate pelado
1/2 cebolla
1 diente de ajo
2 cucharadas
   cafeteras de
   cilantro
1 cucharada
   cafetera de
   aceite
- chile serrano
   al gusto
- sal

Guacamole rojo

1. Pele los aguacates y machaque la pulpa con un tenedor hasta que se haga puré.
2. Pique el jitomate, la cebolla, el ajo, el cilantro y los chiles, mézclelos con el puré, aceite y sal y sirva.
(Para que el guacamole no se ponga negro deje el hueso dentro o póngale unas gotas de jugo de limón.)

Salsa mexicana

2 jitomates
1/2 cebolla
1 diente de ajo
– chile serrano
al gusto
– sal

1. Ase los jitomates y pélelos.
2. Ponga en un molcajete los chiles, el ajo, los jitomates y muélalo todo.
3. Agregue sal y cebolla picada.

2 jitomates
1/2 cebolla
2 dientes de ajo
1 cucharada sopera de aceite
– chile serrano al gusto
– orégano al gusto
– jugo de medio limón
– sal

Salsa ranchera

1. Sumerja los jitomates en agua hirviendo unos segundos, pélelos, píquelos y póngalos en una salsera.
2. Pique la cebolla, los chiles y el ajo y mezcle con el jitomate.
3. Añada el aceite y el jugo de limón y espolvoree con el orégano.

67

Salsa de pasilla

5 **chiles pasilla**
5 **dientes de ajo**
– **sal**
1 **trozo de queso fresco**

1. Desvene, tueste y remoje los chiles.
2. En un molcajete muela los ajos y los chiles con el agua en que los remojó. Añada sal.
3. Al servir, añada el queso fresco desmoronado.

Salsa de chipotle

1 **jitomate grande**
5 **tomates verdes**
— **chiles chipotles al gusto**
1 **cebolla picada finamente**
1 **diente de ajo**
1 **cucharada cafetera de vinagre**
— **aceite para freír**
— **sal**

1. Hierva los tomates y los chiles en 1 taza de agua durante unos 15 minutos.
2. Licue los chiles, los tomates, el jitomate, el ajo y agregue el vinagre. Cuele.
3. Fría la cebolla; agregue la mezcla anterior y cueza 10 minutos más, moviendo continuamente para que no se pegue. Añada sal y sirva con tortillas calientes. Puede añadir queso añejo desmoronado.

Mayonesa rápida

1 huevo
1 cucharada
   cafetera de
   mostaza
1/2 cucharada
   cafetera de
   azúcar
1 limón
1 taza de aceite
— sal y pimienta

1. En el vaso de la licuadora ponga el jugo del limón, el huevo , la mostaza, el azúcar, la sal y la pimienta y licue.
2. Mientras licua, agregue poco a poco el aceite, hasta que espese la mezcla.
3. Refrigere y sirva.

69

Vinagreta

Se mezclan los ingredientes y se vierten sobre la ensalada en el momento de servir.

A la vinagreta se le puede agregar:

1/4 **taza de aceite**
2 **cucharadas**
   soperas de
   vinagre
— **sal y pimienta**

— cebolla, huevo duro, perejil o pepino agrio, todo picado
— una yema batida con el vinagre para dar cuerpo
— mostaza
— ajo machacado
— hierbas de olor

70

Yogurt casero

24 cucharadas
 soperas de leche
 en polvo
 8 tazas de agua
 hervida
 3 cucharadas
 soperas de
 yogurt natural

1. Mezcle la leche en polvo con el agua hervida en un recipiente muy limpio.
2. Caliente la leche a una temperatura que permita meter el dedo durante unos segundos sin quemarse.
3. Agregue el yogurt y mezcle suavemente.
4. Ponga la mezcla de leche y yogurt donde pueda permanecer tibia (puede ser junto al piloto de la estufa). A las 8 horas el yogurt estará listo.
5. Refrigere.
(Para hacer yogurt de sabores, puede mezclar con el yogurt ya frío frutas frescas picadas, nueces, etc.)

Ensalada fría de yogurt

- *1* taza de yogurt natural
- *1/2* taza de leche evaporada
- *3* pepinos picados
- *2* dientes de ajo
- *5* cucharadas soperas de nuez quebrada
- *2* cucharadas soperas de vinagre blanco
- *4* cucharadas soperas de aceite
- – sal y pimienta
- – pimiento molido al gusto

1. Licue el ajo, el aceite y la nuez junto con la leche y el vinagre.

2. Mezcle el yogurt y el pepino con el licuado anterior. Añada sal y pimienta. Ponga la mezcla a enfriar por lo menos una hora y sírvala en tazones fríos.

Espolvoree con el pimiento molido.

Aderezo de yogurt

- *1* taza de yogurt natural
- *1* cucharada cafetera de azúcar o piloncillo molido
- *1* cucharada cafetera de canela molida
- *2* cucharadas soperas de miel de abeja

Mezcle bien los ingredientes. Viértalos sobre una ensalada de verduras. Vertido sobre frutas frescas sirve como postre.

Carnes

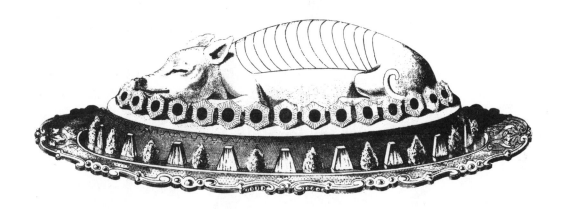

¿Sabía usted que la carne...?

Cualquier tipo de carne puede suavizarse
si se cuece durante largo tiempo y a
fuego lento.
Los cortes más baratos son tan
nutritivos como los otros.
La carne es un alimento rico en
proteínas, necesario para la alimentación.
Es bueno que la carne se consuma al
menos dos veces por semana en
guisados o en caldos.

Carne tampiqueña

6 tiras delgadas de aguayón sin aplanar
2 chiles anchos
1 jitomate chico
1 diente de ajo
1 trozo de cebolla
6 trozos de queso asadero
6 tortillas
2 aguacates
1 cebolla
6 limones
4 cucharadas soperas de aceite
– sal

1. Tueste, desvene y remoje los chiles; muélalos con el jitomate, el ajo, el trozo de cebolla y sal. Fría y sazone.

2. Póngale limón y sal a la carne; ásela a la parrilla, de preferencia en lumbre de carbón.

3. Ase apenas el queso, cuidando que no se queme.

4. Coloque en cada plato una tira de carne, un trozo de queso asado, una tortilla pasada por la salsa y doblada, medio limón, guacamole y rebanadas de cebolla. (Se sirve con tortillas calientes y frijoles).

Coachala

1/2 kg de maciza de res
1 taza de carne molida de res
8 tomates
1 trozo de cebolla
3 dientes de ajo
– chile pasilla al gusto
– aceite para freír
– sal

1. Cueza la maciza en 4 ó 5 tazas de agua con la cebolla y la sal.
2. Tueste ligeramente los chiles y remójelos en agua tibia.
3. Cueza los tomates y lícuelos con los chiles y los dientes de ajo.
4. Fría la carne molida. Agregue los chiles y los tomates licuados. Sazone bien.
5. Añada la maciza y 3 tazas del caldo donde se coció. Hierva un poco y sirva muy caliente.

75

Bisteces con cerveza

6 bisteces (bola,
   aguayón o
   diezmillo)
1 vaso de cerveza
1/2 cebolla rebanada
1 cucharada
   sopera de puré
   de jitomate
1 cucharada
   sopera de harina
– aceite para freír
– sal y pimienta

1. Ponga sal y pimienta a los bisteces y fríalos hasta que se doren un poco.
2. Mezcle la cerveza con las rebanadas de cebolla, el jitomate, la harina y una taza de agua.
3. Agregue esta mezcla a la carne, tape la sartén y cueza durante una media hora. Sirva caliente.

Cuete mechado

1 **kg de cuete para mechar**
4 **rebanadas gruesas de tocino**
1 **zanahoria**
1 **cebolla**
2 **dientes de ajo**
1/2 **taza de vinagre**
– **aceite para freír**
– **sal y pimienta**

1. Para mechar el cuete haga pequeñas incisiones en la carne e inserte trozos de zanahoria y de tocino.

2. Fría el cuete hasta que dore por todos lados. Agregue suficiente agua y cueza con los ajos, la cebolla, el vinagre, sal y pimienta, durante el tiempo que sea necesario para que esté muy suave.

3. Ya cocido y frío, rebánelo y sirva acompañado de ensalada o verduras cocidas.

Tortas de carne

1/2 **kg de falda de res**
3 **huevos**
1 **trozo de cebolla**
1 **diente de ajo**
1 **cucharada sopera de harina**
– **aceite para freír**
– **sal y pimienta**

1. Cueza la carne en 6 tazas de agua con la cebolla y el ajo. Ya cocida, escúrrala, déjela enfriar y deshébrala.
2. Bata las claras de los huevos a punto de turrón y agregue las yemas y la harina. Mezcle.
3. Vierta la carne deshebrada, añada sal y pimienta sobre la mezcla. Revuelva un poco.
4. Fría en una sartén, con aceite muy caliente, cucharadas de la mezcla anterior y aplánelas un poco para formar las tortas.
5. Sirva con salsa mexicana o en caldillo de jitomate.

Milanesas de ternera

6 milanesas de
bola de ternera
2 huevos batidos
1 taza de pan
molido
– aceite para freír
– sal y pimienta

1. Pase las milanesas por el huevo batido y
luego por el pan revuelto con sal y pimienta;
sacuda el exceso de pan. Fría las milanesas hasta
que estén ligeramente doradas.
2. Quite el exceso de grasa con una servilleta de
papel.
(Las milanesas se pueden servir con puré de papa
o con col cocida. Para enriquecer el plato se
puede poner, antes de empanizar las milanesas,
una rebanada de queso y otra de jamón.)

Ternera en adobo

- *1* kg de ternera en trozos
- *5* chiles anchos desvenados
- *1/2* taza de vino blanco
- *2* cucharadas soperas de vinagre
- *1* pizca de pimentón en polvo
- *1* pizca de orégano en polvo
- *1* diente de ajo
- *1* cebolla
- – aceite para freír
- – sal y pimienta

1. Para marinar la carne, déjela reposar durante una hora en un recipiente con el vino, sal, pimienta, orégano y pimentón. Escúrrala y aparte el líquido.

2. Fría la carne hasta que dore por todos lados. Sáquela y apártela.

3. En el mismo aceite fría ligeramente cebolla rebanada, el ajo y el chile ancho. Regrese la carne y agregue el vinagre y el líquido en que se marinó. Tape la cazuela y deje cocer a fuego bajo moviendo de vez en cuando para que no se pegue (unos 45 minutos). Retire la carne del fuego cuando esté tierna.

4. Para servir ponga la carne en un platón con rebanadas de cebolla. Licue la salsa en que se coció y póngala en una salsera.

Albóndigas económicas

1/4 **kg de carne
molida de res**
1/4 **kg de carne
molida de
puerco**
1/2 **taza de leche**
2 **huevos**
1/2 **taza de pan
molido**
1 **cebolla**
10 **hojas de
yerbabuena
picadas**
2 **pimientas
gordas**
1 **pizca de comino
en polvo**
2 **jitomates**
1 **diente de ajo**
1 **chile ancho**
– **aceite para freír**
– **sal**

1. Mezcle las carnes con la leche, media cebolla picada, la yerbabuena, el pan molido, la sal, el comino y los huevos. Forme bolitas de carne con la mano.

2. Ase, desvene y remoje el chile.

3. Ase el jitomate, pélelo y lícuelo con media cebolla, el ajo, el chile y la pimienta. Fría todo hasta que sazone. Añada 3 tazas de agua y cuando empiece a hervir agregue las albóndigas y cueza bien (de 15 a 20 minutos).

Espinazo con calabazas

1 kg de espinazo de cerdo en trozos
4 calabacitas
20 tomates verdes pelados
1 cebolla
2 dientes de ajo
1 rama de cilantro
- chile serrano al gusto
- aceite para freír
- sal

1. Cueza el espinazo en 4 tazas de agua con sal y media cebolla.
2. Ase los tomates. Lícuelos con el ajo, media cebolla, cilantro, chile y media taza del caldo donde se coció la carne.
3. En una cazuela, fría la salsa hasta que sazone.
Añada las calabacitas en rebanadas y la carne con 2 tazas de caldo. Deje hervir hasta que esté tierna la verdura. Añada sal y sirva.

1 1/2 **kg de carne de cerdo en trocitos, surtida (costilla, lomo, espinazo)**
1 **taza de leche**
1/2 **cebolla**
1 **cascarita de naranja**
– **hierbas de olor**
– **manteca para freír**
– **sal y pimienta**

Carnitas

1. Fría la carne con la cebolla; ya bien dorada saque la cebolla, añada la taza de leche, las hierbas de olor y la cascarita de naranja; baje la flama y deje cocer sin tapar durante cerca de una hora y media; escurra la carne.

2. Añada sal y pimienta; sirva con tortillas calientes y guacamole.

83

Manchamanteles

3/4 **kg de lomo en rebanadas**
2 **plátanos maduros de castilla o machos**
3 **rebanadas de piña fresca**
1/2 **cebolla**
1/2 **cabeza de ajo**
1 **raja de canela**
6 **pimientas negras**
4 **clavos de especia**
1/2 **cucharada cafetera de azúcar**
- **chile ancho al gusto**
- **aceite para freír**
- **sal**

1. Fría la carne y rebanadas de plátano y apártelos.
2. Ase ajo, cebolla y chiles; ponga estos últimos a remojar. Cuando estén suaves, lícuelos con las especias, el ajo y la cebolla. Fría la mezcla a fuego bajo en la cazuela hasta que sazone.
3. Regrese la carne, añada 1/2 taza de agua, el azúcar y sal.
Cuando la carne esté casi cocida, agregue la piña cortada en trocitos y los plátanos fritos. Deje 10 minutos más.

Chicharrón con nopales

300 g de chicharrón
15 tomates verdes
6 nopales
1 trozo de cebolla
2 dientes de ajo
1 pizca de carbonato
– chile serrano al gusto
– aceite para freír
– sal

1. Para cocer los nopales, límpielos y pártalos en cuadritos. Póngalos en una olla con agua, la cebolla, 1 diente de ajo y una pizca de carbonato y sal.

2. Cueza en agua hirviendo los tomates y los chiles; lícuelos con el otro diente de ajo. Fríalos hasta que sazonen; agregue 2 tazas de agua. Añada el chicharrón, los nopales y sal. Cueza unos minutos.

Tinga

1 kg de lomo de cerdo
200 g de longaniza
5 jitomates
3 papas
1 1/2 cebollas
2 dientes de ajo
2 cucharadas soperas de vinagre
– chiles chipotles en vinagre, picados finamente
– hierbas de olor
– aceite para freír
– sal
2 aguacates
– hojas de lechuga picadas finamente

1. Cueza la carne con media cebolla y dos dientes de ajo. Ya cocida, déjela enfriar y deshébrela.
2. Ase los jitomates, pélelos y píquelos.
3. Pele las papas, pártalas en cuadritos y cuézalas.
4. Fría la longaniza, retírela y en la misma grasa fría otra media cebolla picada y la carne deshebrada; agregue el jitomate, las papas y los chipotles.
Regrese la longaniza. Añada vinagre, hierbas de olor y sal. Deje hervir hasta que reseque un poco.
5. Vierta todo en un platón. (Adorne con cebolla rebanada, tiras de aguacate y lechuga.
Si desea, puede servir en tostadas).

Tatemado de puerco

3/4 kg de carne de puerco surtida (costilla, carne gruesa y hueso de pierna)

12 chiles anchos o guajillos, desvenados

3 tazas de vinagre

5 dientes de ajo

10 pimientas enteras

1 pizca de jengibre

1 pizca de tomillo

1 pizca de orégano

2 clavos de especia

– sal

1 cebolla rebanada

3 limones

1. Remoje la carne en un recipiente con vinagre, por lo menos durante dos horas, y escurra.
2. Cueza en una olla la carne con suficiente agua para que quede un caldo.
3. Remoje los chiles en agua caliente y lícuelos con media taza del caldo donde coció la carne, las pimientas, el ajo, el jengibre, el tomillo, el orégano y los clavos. Añada sal y cuele la salsa. Agréguela a la carne.
4. Sirva el tatemado con la cebolla rebanada y medios limones.

Pastel de puerco

1 kg de carne de
puerco picada
2 huevos
1 cucharada
sopera de
mostaza
1 cebolla
2 dientes de ajo
1 cucharada
sopera de
vinagre
- verduras
encurtidas y
picadas al gusto
- sal y pimienta

1. Ponga en un recipiente la carne, los huevos y la mostaza. Añada la cebolla y el ajo picados, el vinagre, las verduras, sal y pimienta. Mezcle todo muy bien.

2. Vacíe a un refractario engrasado. Meta al horno, precalentado a fuego medio, hasta que la carne esté bien cocida.

(Si no tiene refractario puede servir una olla de barro forrada con papel aluminio engrasado.)

Lomo en cacahuate

- *1* kg de lomo de cerdo limpio
- *1* taza de cacahuates pelados
- *1* bolillo en rebanadas
- *2* chiles chipotles en vinagre
- *2* chiles anchos desvenados
- *2* jitomates
- *1* trozo de cebolla
- *2* dientes de ajo
- *4* pimientas gordas
- *2* hojas de laurel
- *1/2* hoja santa
- *1* cucharada cafetera de canela
- *1* cucharada cafetera de azúcar
- *2* tazas de caldo
- *2* cucharadas soperas de vinagre
- *1/2* taza de vino tinto
- – aceite para freír
- – sal

1. En una cazuela fría el cacahuate y las rebanadas de pan. Apártelos.

2. Espolvoree el lomo con canela y sal; en una cazuela fríalo hasta que dore por todos lados. Aparte la carne y quite un poco de grasa de la cazuela.

3. Licue juntos todos los ingredientes, excepto el lomo, el caldo, el vinagre y el vino. Fríalos en la cazuela hasta que sazonen. Regrese el lomo, añada las tazas de caldo, el vinagre y el vino. Tape la cazuela y hierva a fuego bajo hasta que el lomo se cueza bien.

89

Lengua en adobo

1 lengua de res
6 chiles anchos
3 cucharadas soperas de vinagre
4 dientes de ajo
1 pizca de orégano
– hierbas de olor
– aceite para freír
– sal y pimienta

1. Cueza la lengua en agua con sal y hierbas de olor hasta que esté tierna. Ya cocida, despelléjela y rebánela.

2. Desvene y tueste los chiles. Lícuelos con el ajo y el orégano en un poco de agua; cuele.

3. Fría la salsa de chile durante unos 5 minutos. Añada el vinagre y la lengua rebanada, la sal y la pimienta. Deje hervir 5 minutos más y sirva.

Riñones al piñón

1 1/2 kg de riñones
2 naranjas
2 cucharadas soperas de piñones
2 cucharadas soperas de pasitas
2 jitomates
1/2 cucharada cafetera de azúcar
1/4 taza de vinagre
1 bolillo rebanado
1 tortilla dura
1 manojito de perejil
1 vaso de jerez seco
– manteca para freír
– sal y pimienta
10 aceitunas
1/2 lechuga

1. Lave, limpie y rebane los riñones. Para desflemarlos, remójelos en vinagre durante 10 minutos. Enjuáguelos bien.

2. Dore las rebanadas de bolillo. Escúrralas para quitarles el exceso de grasa.

3. Ase y pele los jitomates. Lícuelos con los piñones, las pasas, el perejil, el azúcar, el pan dorado y la tortilla. Fría esta mezcla y sazone.

4. Hierva los riñones con el jugo de las naranjas. Cuando se consuma el jugo un poco agregue la mezcla anterior y el jerez. Mueva de vez en cuando y deje hervir a fuego bajo hasta que los riñones se ablanden. Añada sal y pimienta.

5. Adorne con lechuga y aceitunas.

91

Ubre empanizada

6 **bisteces de ubre**

2 **huevos**

1 **taza de pan molido**

1 **trozo de cebolla**

1 **diente de ajo**

– **aceite para freír**

– **sal y pimienta**

1. Lave los bisteces y póngalos a cocer con ajo, cebolla y sal.

2. Cuando los bisteces estén suaves, póngales sal y pimienta, páselos por huevo batido y empanícelos.

3. Fría los bisteces hasta que se doren. Seque el exceso de grasa con una servilleta de papel y sírvalos con ensalada.

Aves

Compre usted pollo

El pollo es el ave más popular y barata que existe. Hace mucho tiempo podían conseguirse diversos tipos de aves en el mercado, provenientes casi siempre de la cacería. Muchas especies se han extinguido y para evitar que suceda lo mismo con las que quedan se han puesto en veda.

El pollo se industrializa y se consigue a precios relativamente menos altos, aunque haya perdido algo del sabor que tenía cuando se criaba libremente en el campo.

Con esta ave pueden prepararse infinidad de guisos con sabores delicados, que van de lo agrio a lo dulce y lo salado.

Pollo en su jugo

1 pollo grande
cortado en
piezas
2 tazas de caldo
de pollo
4 cucharadas
soperas de
vinagre
1 cebolla rebanada
– tomillo
– aceite para freír
– sal

1. Lave bien el pollo y séquelo. Póngale sal y dórelo en aceite muy caliente. Sáquelo y en el mismo aceite fría bien la cebolla.
2. Regrese el pollo a la cacerola y añada el vinagre, el caldo, tomillo y sal. Tape la cacerola y cueza hasta que esté tierno.
Sirva con ensalada de lechuga o verdura cocida.

Pollo con yerbabuena

1 pollo cortado en piezas
1 taza de jugo de naranja
1 cucharada sopera de ralladura de naranja
1/2 taza de hojas de yerbabuena
1/4 taza de azúcar
5 cucharadas soperas de vinagre
– aceite para freír
– sal

1. Pique finamente la yerbabuena y déjela reposar revuelta con el azúcar, el jugo y la ralladura de naranja.
2. Lave y seque las piezas de pollo. Póngales sal y dórelas en aceite. Escurra el exceso de grasa.
3. Hierva el vinagre unos segundos y agregue la mezcla del jugo.
4. Vierta sobre el pollo y cueza hasta que esté tierno. Sirva caliente.

95

Pollo en salsa verde

1 pollo cortado en piezas
10 chiles poblanos
1 cebolla
1 taza de caldo
1 taza de crema
– aceite para freír
– sal y pimienta

1. Lave y seque el pollo. Póngale sal y pimienta y fríalo hasta que se dore.

2. Ase y sude los chiles. Pélelos, desvénelos y lícuelos con la cebolla y el caldo. Pase todo por un colador y fría hasta que sazone.

3. Agregue el pollo y cuézalo hasta que esté tierno. Retire del fuego y añada la crema.

Croquetas de pollo

1 pechuga de
  pollo
6 rebanadas de
  jamón
2 huevos
3 cucharadas
  soperas de
  harina
1 taza de leche
1 cucharada
  sopera de
  cebolla picada
1 cucharada
  sopera de perejil
  picado
1 cucharada
  sopera de
  mostaza
- pan molido
- margarina para
  freír
- sal y pimienta

1. Lave la pechuga y cuézala en agua con sal.
2. Pique la pechuga y el jamón finamente.
3. Fría la cebolla en la margarina. Añada la
harina moviendo continuamente y cuando
empiece a tomar color agregue la leche. Siga
moviendo durante unos 10 minutos.
4. Agregue el pollo y el jamón picados, la
mostaza y el perejil. Añada sal y pimienta y
mezcle. Deje enfriar un poco para formar una
pasta gruesa y moldeable.
5. Bata los huevos.
6. Forme las croquetas con la mano. Báñelas en
el huevo batido y empanícelas. Dórelas parejo en
el aceite. Quite el exceso de grasa con una
servilleta.

97

Pechugas con tocino

6 medias pechugas de pollo

6 rebanadas de tocino

1 cucharada de vinagre

2 dientes de ajo

1 pizca de canela molida

1 pizca de clavo molido

1 taza de jerez

– pimienta

1. Machaque el ajo con el vinagre, la canela y el clavo.

2. Lave las pechugas, séquelas y úntelas con la mezcla de vinagre y especias. Enrolle el tocino alrededor de las pechugas y asegure con un palillo.

3. Coloque las pechugas en un plato refractario. Añada el jerez y pimienta.

4. Hornee a fuego medio unos 15 minutos. Voltéelas y cueza hasta que estén tiernas, bañándolas de vez en cuando con su salsa.

Crepas con higaditos

1/2 **kg de higaditos**
de pollo
2 **dientes de ajo**
1/2 **cebolla picada**
- **queso para derretir**
- **sal y pimienta**

1. Lave los hígados. Cuézalos en agua con sal y píquelos muy fino.
2. Fría la cebolla y los ajos, agregue los higaditos, la sal y la pimienta y fría un poco más hasta que se forme una pasta gruesa.
3. Haga las crepas y rellénelas con la pasta. Colóquelas en un molde de hornear; espolvoree con queso y métalas al horno hasta que se derrita el queso.

1 **taza de harina de**
trigo
1 **taza de leche**
1/2 **cucharada**
cafetera de sal
2 **cucharadas**
cafeteras de
agua helada
1 **cucharada**
cafetera de
margarina
derretida

Para hacer las crepas:

1. En un recipiente mezcle la harina, la leche y la sal con las dos cucharadas de agua helada y la de margarina derretida para formar un atole.
2. Engrase ligeramente una sartén chica; vierta un poco de la mezcla para formar crepas delgadas, cociéndolas por uno y otro lado.

99

Ensalada de pollo

1 pechuga de pollo
1 zanahoria cortada en cuadritos
1 taza de chícharos
2 ramas de apio picado
1/2 cebolla picada
1/2 taza de mayonesa
1/4 taza de leche
2 cucharadas soperas de jugo de limón
1 cucharada cafetera de mostaza
1 lechuga
- sal y pimienta

1. Lave la pechuga de pollo y cuézala en agua con sal. Córtela en cuadritos.

2. Cueza la zanahoria y los chícharos.

3. Cuando enfríen un poco el pollo, la zanahoria y los chícharos, mézclelos con el apio, la cebolla, la mayonesa, la leche, el limón y la mostaza en una ensaladera. Sirva la ensalada fría sobre hojas de lechuga, previamente lavadas y desinfectadas.

Pichones al chipotle

6 pichones
2 chiles chipotles
  en vinagre
1/2 cebolla picada
2 dientes de ajo
3 jitomates
2 tazas de pulque
  o cerveza
1 manojo de
  cebollitas de
  cambray
– hierbas de olor
– aceite para freír
– sal

1. Lave y limpie los pichones. Séquelos. Fríalos en aceite hasta que se doren. Apártelos.
2. Licue el jitomate con el chipotle, la cebolla picada y el ajo. Fría hasta que sazone la mezcla y agregue el pulque o la cerveza, las hierbas de olor y las cebollitas.
3. Meta los pichones a la cazuela. Tape y cueza a fuego medio hasta que estén tiernos (unos 30 minutos). Añada sal y sirva.

Pato con soya

1 pato grande
1 1/2 cucharadas soperas de salsa de soya
4 tazas de consomé
1 cucharada de azúcar
2 cebollas con rabo
1 cucharada cafetera de jengibre rallado
1/2 taza de vino tinto para cocinar o vinagre
– sal

1. Lave el pato con agua caliente, séquelo, humedézcalo con alcohol y flaméelo para quitarle el sabor a humedad.
2. Cueza el pato con el consomé y demás ingredientes, menos el vino o vinagre, en una olla con tapa.
3. Cuando esté tierno (aproximadamente una hora), destape y agregue el vino o el vinagre; cueza 10 minutos más. Escurra y sirva con verdura cocida.
(Puede servirlo entero o en piezas.)

Pescados y mariscos

¿Por qué no comemos pescado?

En México se consume muy poco pescado: seis kilos y medio por persona al año, aunque este porcentaje aumente naturalmente en las regiones costeras. Es una lástima, porque el pescado tiene muchas ventajas: una gran cantidad de proteínas, una cantidad proporcional menor de grasas y una digestión más fácil. Acostúmbrese al sabor. Cómalo una vez por semana. Algunos pescados son grasosos (el atún, el arenque, la sardina, la macarela) y otros son magros (el huachinango, el robalo) y, en fin, el pescado de agua salada es más nutritivo que el de agua dulce.

Cuando lo compre cuide que esté bien fresco: con ojos y escamas brillantes y vivos, con agallas de un rojo tierno y con olor suave. Si lo compra en filetes fíjese que la carne esté firme.

Mojarras en mantequilla

6 mojarras chicas

8 cucharadas soperas de margarina o aceite

1 cucharada sopera de jugo de limón

1 cucharada cafetera de pimentón

2 dientes de ajo picados

– sal y pimienta

1. Ponga la margarina o aceite, el limón, el pimentón, el ajo, la sal y la pimienta en un refractario. Métalo en el horno precalentado (unos 5 minutos).

2. Cuando comience a burbujear agregue las mojarras limpias, secas y espolvoreadas con sal y pimienta. Cuézalas unos 15 minutos de cada lado. Sírvalas calientes y en su jugo. Adorne con ramitas de perejil chino.

Budín de sardina

1 lata de sardinas
  en jitomate
16 tortillas
3 chiles poblanos
3 jitomates
2 tazas de crema
1 taza de queso
  fresco
– aceite para freír
– sal

1. Ase, sude, desvene y corte los chiles en rajas. Ase, pele y pique el jitomate.

2. Fría ligeramente las tortillas y escúrralas.

3. En un refractario engrasado coloque una capa de tortillas y encima las rajas asadas, el jitomate, el queso, las sardinas y la crema.

4. Ponga otra capa de tortillas, añada nuevamente los demás ingredientes y repita hasta terminar con una capa de tortillas.

5. Cubra con crema y queso desmoronado; hornee 30 minutos a fuego medio. Sirva inmediatamente.

105

Truchas con ajonjolí

6 truchas
  medianas
3 cucharadas
  cafeteras de
  ajonjolí
3 cuadritos de
  margarina
2 limones
- sal y pimienta

1. Tueste el ajonjolí, tapando la sartén para que no brinque.

2. Lave bien las truchas y hágales incisiones de cada lado (no muy hondas). Espolvoree con el ajonjolí tostado, la sal y la pimienta.

3. Coloque cada trucha sobre un pedazo de papel aluminio suficientemente grande y forme una bolsa alrededor de ella.

4. Antes de cerrar la bolsa añada 1/2 cuadrito de margarina y unas gotas de limón.

Coloque las bolsitas en un plato refractario humedecido. En horno precalentado a fuego medio, introdúzcalas durante 15 ó 20 minutos según el tamaño de la trucha. Sirva enseguida, dentro de sus bolsas.

Robalo en epazote

6 filetes de
pescado (robalo
o cualquier otro)
6 hojas de epazote
1 cebolla rebanada
1 1/2 tazas de crema
agria
1/2 taza de queso
fresco
– sal y pimienta

1. Lave los filetes; póngales sal y pimienta y dóblelos a la mitad con una hoja de epazote en medio y asegúrelos con un palillo. Colóquelos en una sartén con 1/2 taza de agua. Tápelos y cuézalos unos 10 minutos. Destápelos.
2. Cúbralos con la cebolla, la crema y el queso desmoronado; vuelva a tapar y cueza 10 minutos más. Sirva cuando el queso esté derretido. (Se puede hacer al horno.)

Sierra en escabeche

1 kg de sierra en
   trozos
1 chile pasilla
   desvenado
1 taza de vinagre
2 cebollas
   medianas
   rebanadas
4 hojas de laurel
– jugo de 2
   limones
– aceite para freír
– sal y pimienta

1. Para marinar, ponga sal y pimienta al pescado
y colóquelo en un recipiente con el jugo de los
limones. Deje reposar 30 minutos. Sáquelo,
enjuáguelo un poco y escúrralo.

2. Fría la cebolla y chile. Añada el pescado, el
vinagre y el laurel. Cueza todo unos 15 minutos
a fuego alto.

3. Refrigere antes de servir. Puede adornarse
con lechuga.

Pescado al mojo isleño

6 filetes de pescado (mero)
3 jitomates molidos y colados
2 cebollas
1 pimiento morrón picado
10 aceitunas sin hueso
2 cucharadas soperas de vinagre
1 hoja de laurel
6 dientes de ajo
- aceite para freír
- sal

1. Fría en una sartén los ajos hasta que se doren. Deséchelos y en la misma grasa fría los filetes de pescado hasta que doren por ambos lados y se cuezan.

2. Fría la cebolla hasta que se ponga transparente. Añada el jitomate y el pimiento, fría hasta que sazone. Agregue las aceitunas, el vinagre y el laurel. Cueza unos 10 minutos a fuego bajo.

3. Vierta la salsa sobre los filetes de pescado y sirva inmediatamente.

109

Pescado panadera

1 pescado grande entero (1 1/2 kg más o menos, rubia, peto, cazón)

2 cucharadas soperas de margarina

1 cucharada sopera de perejil picado

2 dientes de ajo picados

1 taza de vino blanco

3 cucharadas soperas de pan molido

1/2 cucharada cafetera de pimentón

- sal y pimienta

1. Lave bien el pescado, séquelo, úntele margarina y espolvoree con sal y pimienta. Colóquelo en un refractario.

2. Póngale encima los ajos picados y el perejil. Agregue la taza de vino y meta a horno precalentado a fuego medio.

3. Después de 20 minutos, dele la vuelta, espolvoree con pan molido y pimentón. Termine de cocer, bañando el pescado de vez en cuando. Sirva acompañado de rodajas de limón.

Milanesas de pescado

6 filetes de
  pescado
  (huachinango,
  robalo)
1 huevo
– pan molido
– aceite para freír
– sal y pimienta

1. Lave los filetes en agua fría, séquelos con un trapo, póngales sal y pimienta.
2. Bata el huevo.
3. Bañe los filetes en el huevo batido y revuélquelos en pan molido.
4. Fría los filetes uno a uno en aceite, no demasiado caliente, hasta que tomen un color dorado. Pueden servirse calientes acompañados de una ensalada verde, o fríos y cubiertos de mayonesa.

111

1 huachinango
   entero (aprox.
   de kilo y medio)
4 jitomates
12 aceitunas
   deshuesadas y
   partidas a la
   mitad
6 chiles largos
1 cebolla rebanada
2 dientes de ajo
   picados
2 hojas de laurel
1 pizca de orégano
2 cucharadas
   cafeteras de
   jugo de limón
- aceite para freír
- sal

Huachinango a la veracruzana

1. Limpie y lave el pescado sin cortar la cabeza ni la cola; píquelo por ambos lados con un tenedor y úntelo con sal y jugo de limón; déjelo reposar 1/2 hora.

2. Fría unos 10 minutos la cebolla, el ajo, el jitomate, el laurel, el orégano; añada sal.

3. Coloque el pescado en un refractario, agréguele la salsa de jitomate, los chiles, las aceitunas y la cebolla rebanada. Hornee a fuego medio hasta que se cueza el pescado (unos 20 minutos). Sirva con arroz blanco.

Almejas en cazuela

4 docenas de
  almejas
4 dientes de ajo
  picados
1/2 cebolla picada
2 cucharadas
  soperas de
  perejil picado
2 cucharadas
  soperas de pan
  molido
1 taza de vino
  blanco
– jugo de 2
  limones
– aceite para freír
– sal

1. Lave las almejas con una escobeta para quitarles la arena. Póngalas a remojar en agua con sal durante 15 minutos.

2. Caliente el aceite en una cazuela de barro y fría ahí primero la cebolla con el ajo y luego las almejas escurridas dándoles vueltas para que se abran.

3. Añada el jugo de limón, el vino, el perejil y 1/2 taza de agua; espolvoree con pan molido y deje hervir 10 minutos. Añada sal y sirva en la misma cazuela.

Pulpos

2 kg de pulpo
5 jitomates
  pelados
2 cebollas
1 trozo de cebolla
2 dientes de ajo
– hierbas de olor
– perejil
– aceite para freír
– sal
– aceitunas
  enteras

1. Lave bien los pulpos y cuézalos durante unas dos horas (ó 20 minutos en olla exprés) con un trozo de cebolla, las hierbas de olor y el ajo.
2. Cuando estén cocidos y suaves, despeléjelos y córtelos en trozos pequeños.
3. Pique dos cebollas, el perejil y el jitomate pelado y fría todo hasta que sazone. Añada los pulpos, sal y cueza unos minutos más. Sirva caliente. Adorne con aceitunas.

Postres

¡Cuidado con el azúcar!

Es evidente que la mayoría de los postres se confeccionan con azúcar: es necesario por ello saber cuáles son sus desventajas y cualidades. Varias plantas la contienen; también se encuentra en la miel elaborada por las abejas. El azúcar puro puede extraerse de algunas plantas que lo contienen en porcentajes elevados: la caña y el betabel.

Aunque es fuente de energías, en México se abusa de este producto (hasta 42 kilos al año, por persona) y se favorece la formación de caries en los dientes, la obesidad (y con ella las enfermedades del corazón) y la diabetes. Hay que consumirla con moderación y preferir las frutas que la contienen en forma natural.

Gelatina de guayaba

15 guayabas rebanadas
4 cucharadas soperas de gelatina sin sabor
1 taza de crema batida
1 taza de azúcar
1/2 taza de brandy

1. Disuelva el azúcar en 4 tazas de agua. Cueza ahí las guayabas hasta que estén suaves.
2. Caliente 1 taza de agua y disuelva bien la gelatina. Ponga a la gelatina disuelta en el recipiente donde coció las guayabas. Agregue el brandy y mezcle bien.
3. Vacíe en un molde y meta a cuajar en el refrigerador.
4. Desmolde y decore con crema batida.

Manzanas al horno

6 **manzanas**
6 **cucharadas cafeteras de miel de maíz**
6 **rajitas de canela**
6 **cuadritos de margarina**
– **crema para batir**

1. Lave las manzanas y quíteles el centro sin perforarlas completamente.
2. Colóquelas en un refractario y póngales un poco de miel, una raja de canela y rellene con un trocito de margarina.
3. Hornee unos 20 minutos a fuego bajo y sirva con crema batida al gusto.

Plátanos al horno

2 **plátanos machos, maduros**
1 **barrita de margarina**
1 **taza de azúcar**

1. Pele y parta los plátanos a lo largo; úntelos con margarina y espolvoréelos con azúcar.
2. Hornéelos a fuego alto hasta que estén dorados y tiernos (unos 15 minutos).

117

Papaya en dulce

1 papaya mediana
  no muy madura
2 tazas de azúcar

1. Pele y quite las semillas a la papaya. Parta en rebanadas chicas.

2. Hierva el azúcar con un poco de agua hasta hacer un jarabe ligero. Añada la fruta con cuidado para no romperla.

3. Deje hervir a fuego bajo 30 minutos. Enfríe y sirva.

Dulce de capulín

1/2 kg de capulín
1/2 kg de
    chabacano
 – azúcar al gusto
 – jugo de 1
    limón
1 rajita de canela

1. Lave bien la fruta, deshuésela y póngala en una cacerola con suficiente agua para que la cubra. Añada el azúcar, la raja de canela y el jugo de limón.

2. Hierva a fuego alto hasta que casi se consuma el agua. Puede servirse caliente o frío.

Postre de camote y piña

2 camotes
1/2 piña
3 tazas de azúcar
1 paquete de galletas marías
3 cucharadas soperas de jerez dulce
– nueces para adornar

1. Cueza los camotes en un poco de agua. Lícuelos con la piña.

2. Disuelva el azúcar en una taza de agua y hierva hasta obtener una miel ligera. Retire del fuego.

3. Aparte 1/2 taza de miel, agréguele el jerez y mezcle. En la miel que queda ponga piña y camote licuados. Hierva hasta que se vea el fondo de la olla, moviendo constantemente.

4. En un platón coloque sucesivamente una capa de galletas mojadas en la miel con el jerez y una capa de pasta de fruta. Termine con la pasta y adorne con las nueces. Enfríe antes de servir.

Arroz integral con leche

1 **taza de arroz**
4 **tazas de leche**
1 **raja de canela**
1/2 **cucharada cafetera de extracto de vainilla**
1 **taza de azúcar**
2 **cucharadas soperas de pasas**

1. Remoje el arroz en agua fría (15 minutos). Escurra y póngalo a cocer a fuego muy bajo en 2 tazas de leche con la raja de canela. Cuando se cueza, añada el resto de la leche, la vainilla y el azúcar y mueva de vez en cuando.
2. Al espesar retire del fuego y vacíe en un platón. Adorne con pasas. Refrigere. (Se puede meter al horno con un trozo de margarina encima hasta que se dore ligeramente y servir caliente.)

Postre de limón

8 **yemas de huevo**
4 **claras**
1 1/2 **tazas de azúcar**
1 **taza de crema**
dulce para batir
– **jugo de 2**
limones grandes
– **ralladura de 2**
limones grandes

1. En un recipiente bata las yemas con el azúcar, el jugo y la ralladura de los limones. Cueza a fuego bajo hasta que espese; no deje que hierva. Vacíe en un molde y enfríe.
2. Bata las claras a punto de turrón.
3. Bata la crema hasta que esponje.
4. Revuelva suavemente claras y crema y vierta sobre el molde que ya tiene la mezcla de yemas.
5. Refrigere una hora y sirva.

Chongos zamoranos

8 tazas de leche
1 taza de azúcar
1 pastilla de cuajar
4 rajas de canela
– jugo de 2
   limones

1. Ponga la leche a fuego lento para que no hierva, agregue la pastilla de cuajar disuelta en un poquito de leche; mezcle.

2. Cueza 1/2 hora y agregue el jugo de limón.

3. Cuando esté bien cuajada la leche, clave las rajitas de canela en su superficie y espolvoree el azúcar, sin mover. Siga cociendo a fuego bajo durante 2 horas aproximadamente.

4. Retire del fuego hasta que casi se haya consumido el líquido que rodeaba los cuajos de leche. (La leche no debe hervir nunca.)

Cajeta quemada

8 **tazas de leche**
4 **tazas de azúcar**
1/2 **cucharada**
   cafetera de
   bicarbonato

1. Mezcle 6 tazas de leche con el bicarbonato. Ponga al fuego y deje que suelte un hervor. Retire.
2. Mezcle en un recipiente grande 2 tazas de leche con el azúcar. Hierva a fuego bajo hasta que empiece a espesar y tomar un color oscuro.
3. Vierta sobre el recipiente las 6 tazas de leche con el bicarbonato. Siga hirviendo sin dejar de mover hasta que se vea el fondo del cazo.
4. Deje enfriar. Coloque en un recipiente de vidrio.

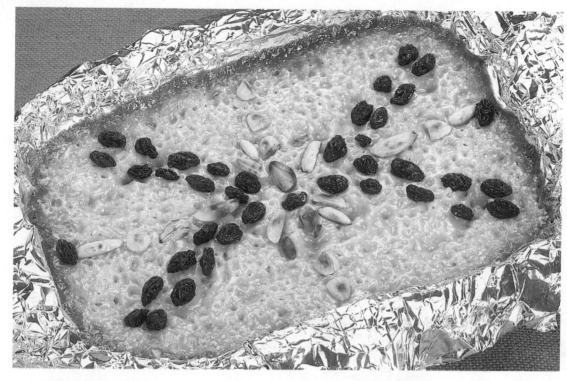

2 tazas de coco
  rallado
1 vaso de agua de
  coco
1 taza de leche
1 taza de azúcar
3 yemas
1 copa de ron
6 almendras
  peladas y
  partidas
  por la mitad
3 cucharadas
  soperas de
  pasas
1/2 cucharada
  cafetera de
  canela en polvo

Cocada horneada

1. Hierva el coco rallado con su agua y el azúcar unos 10 minutos. Agregue la leche, mueva y siga cociendo hasta que se vea el fondo del cazo.
2. Bata las yemas, con el ron y échelas al dulce. Deje hervir 10 minutos más.
3. Vacíe la cocada en un molde refractario. Adorne con las almendras y las pasas. Espolvoree con canela.
4. Hornee a fuego medio hasta que dore (unos 15 minutos).

2 jícamas peladas
  y ralladas
1 taza de coco
  rallado
1 taza de jugo de
  naranja
1 pizca de sal
- azúcar al gusto

Dulce de jícama

1. Ponga a hervir todos los ingredientes unos 30 minutos, a fuego bajo, y mueva frecuentemente.
2. Vacíe en un plato extendido y deje enfriar antes de servir.

124

Fresas al rompope

- *3* **tazas de fresas**
- *1* **taza de crema dulce**
- *5* **cucharadas soperas de rompope**
- *3/4* **taza de azúcar granulada**
- *1/2* **taza de azúcar pulverizada**

1. Limpie las fresas y deje aparte las más bonitas para el adorno. Coloque las demás en un platón. Báñelas con azúcar granulada y métalas en el refrigerador por 1 hora.

2. Bata la crema. Cuando espese, agregue el azúcar pulverizada y el rompope. Con una cuchara de madera mezcle bien y vierta esta salsa sobre las fresas.

3. Adorne con las fresas que apartó. Refrigere antes de servir.

125

Postre de chicozapote

- *1* **taza de pulpa de chicozapote (sin hueso ni cáscara)**
- *2* **tazas de leche evaporada**
- *1* **yema**
- *1* **cucharada sopera de maicena**
- *1* **raja de canela**
- *2* **cucharadas soperas de pasitas**
- *1/2* **taza de azúcar**

1. Mezcle la yema, el azúcar, la maicena, la canela y la leche. Ponga todo a fuego bajo, mueva ligeramente. Cuando empiece a espesar, agregue la pulpa de los chicozapotes pasada por un colador.

2. Siga moviendo y, cuando llegue al punto de crema espesa, retírelo del fuego. Deje que se enfríe y sírvalo adornado con pasitas.

Postre de café

2 cucharadas cafeteras de café instantáneo
1 cucharada cafetera de extracto de vainilla
6 cucharadas soperas de leche evaporada
2 huevos batidos
3/4 taza de margarina
1/2 cucharada cafetera de sal
2 tazas de azúcar pulverizada

1. En una cacerola a fuego bajo derrita la margarina. Agregue la sal y la mitad del azúcar, poco a poco.
2. Mezcle muy bien y añada el extracto de vainilla, el café disuelto en la leche, el resto del azúcar, el huevo y siga batiendo.
3. Cueza hasta que la mezcla quede tersa. Refrigere y sirva.

Galletas de piloncillo

1 panocha de
  piloncillo
1 cáscara de
  naranja
1 raja de canela
3 tazas de harina
1 cucharada
  sopera de polvo
  de hornear
1 taza de manteca
  (o margarina)

1. Hierva el piloncillo, la canela y la cáscara de naranja en 2 tazas de agua hasta formar una miel. Cuele.

2. Cierna la harina con el polvo de hornear y mézclela con la manteca. Amase y añada la miel. Siga amasando hasta formar una pasta.

3. En una superficie enharinada extienda la pasta con el rodillo hasta que quede delgada.

4. Corte las galletas con moldes de figuras, barnícelas con agua y colóquelas en charolas engrasadas. Hornee a fuego medio de 20 a 25 minutos.

Polvorón de cacahuate

- *1* **taza de cacahuate molido**
- *2* **tazas de harina**
- *1* **taza de azúcar pulverizada**
- *1* **taza de manteca**
- *1/2* **cucharada cafetera de carbonato**
- **– papel de china de colores**

1. Queme la manteca. Déjela enfriar.

2. Cierna la harina, agréguele el carbonato y forme una fuente. Ponga en el centro el azúcar, el cacahuate y la manteca quemada. Con un tenedor mezcle bien sin apretar. Forme rollitos sobre una tabla enharinada y córtelos al sesgo para formar los polvorones. Colóquelos en una charola para hornear, engrasada y enharinada. Hornee durante 15 ó 20 minutos. Deje enfriar.

3. Envuelva cada rollito en cuadritos de papel de china. Tuerza los extremos y corte flecos.

129

Pastel fácil

1 taza de harina
1 1/2 barritas de margarina
1 taza de azúcar
3 huevos
1 cucharada cafetera de polvo de hornear
1/2 taza de jugo de naranja
1 pizca de sal
– ralladura de naranja

1. Bata la margarina con el azúcar.
2. Agregue la harina cernida con el polvo de hornear. Sin dejar de batir, agregue los huevos, de uno en uno, la pizca de sal, la ralladura y el jugo de naranja, hasta que la pasta esté uniforme.
3. Vacíe la pasta en un molde grande engrasado y enharinado.
4. Cueza unos 20 minutos en horno precalentado a fuego medio, o hasta que pueda introducir un palillo de madera en el pastel y salga seco.
5. Saque el pastel del molde. Déjelo enfriar antes de ponerle el betún.

3 claras
4 cucharadas soperas de azúcar pulverizada
1 pizca de cremor tártaro
2 gotas de pintura vegetal

Betún rápido

Bata las claras a punto de turrón; mientras bate agregue poco a poco el azúcar, el cremor tártaro y la pintura vegetal.

Rompope

4 yemas
6 tazas de leche
1 taza de azúcar
1/2 taza de almendras
– ron al gusto

1. Remoje las almendras en agua hirviendo y pélelas.

2. Licue las almendras con un poco de leche hasta que no tenga grumos.

3. Hierva la leche y agregue el azúcar y las almendras licuadas. Mueva continuamente con pala de madera hasta que espese un poco. Retírelo del fuego.

4. Bata las yemas con el ron y añádalas, poco a poco, sin dejar de mover hasta que queden bien incorporadas a la leche. Deje enfriar y envase en botella de vidrio.

Café

Para hacer un buen café es necesario hacer pasar agua hirviendo a través de una capa de café fresco, una sola vez. Si quiere el café más fuerte o más débil, haga la capa más gruesa o más delgada. Puede pasar agua hirviendo por el café en un filtro. También puede hervir agua, quitarla del fuego, echar café, esperar un poco y después colar. Lo importante es que el café, una vez hecho, ya no hierva.

El sabor del café depende del tostado y del molido. El café turco y el expreso se hacen de café molido fino. El americano, de molido medio. El buen café de olla se hace del modo anterior pero se le añade canela y piloncillo. El café vienés se hace agregando crema dulce batida al servir.

Cada persona tiene su gusto para tomar café. Haga poco; siempre es mejor tomarlo recién hecho.

Chocolate mexicana

4 tabletas de chocolate con azúcar

6 tazas de agua o leche

1. Hierva el chocolate en 6 tazas de agua o leche; mueva constantemente para que no se pegue. Si se hace con leche, retírelo del fuego cuando suba y sírvalo. Puede espumarlo con molinillo.

Chocolate vienés

Añada, al servir, una cucharada de crema dulce batida.

Chocolate española

Se espesa con una cucharada de maicena.

Chocolate con helado

En un vaso alto ponga dos bolas de helado de vainilla y añada chocolate hirviendo hasta llenar. Sirva enseguida.

133

Atole blanco

1 **taza de masa de maíz cacahuacintle**

8 **tazas de agua**

1. Caliente 6 tazas de agua en una olla.
2. Con las 2 tazas de agua restantes, disuelva la masa y viértala en la olla, pasándola por un colador fino. Mueva continuamente hasta que espese.

Atole de frutas

5 **cucharadas soperas de maicena**

5 **tazas de leche**

1 **taza de fresas**

  azúcar

1. Disuelva la maicena en 1/2 taza de agua.
2. Machaque las fresas, agrégueles el azúcar y póngalas a fuego bajo hasta que cuezan un poco.
3. Agregue la leche y la maicena y cueza moviendo hasta que espese.

Contenido de los demás volúmenes de la serie

...y la comida se hizo

2. económica

...y la comida se hizo
3. rápida

...y la comida se hizo
4. para celebrar

La colaboración de la Compañía Nacional de Subsistencias
Populares, del Departamento del Distrito Federal, del Instituto
Mexicano del Seguro Social y del Instituto de Seguridad y
Servicios Sociales de los Trabajadores del Estado, hizo
posible la realización de estos libros.

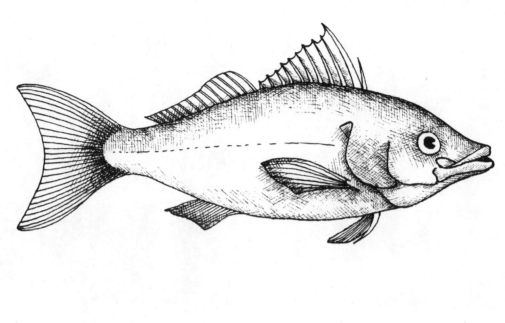

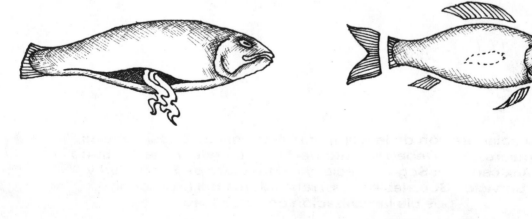